Het geheim van het zwarte potlood

PSSST! Ken jij deze GEHEIM-boeken al?

Het geheim van de verdwenen dieren
Het geheim van Anna's dagboek
Het geheim van de struikrovers
Het geheim onder het bed
Het geheim van de ontvoering
Het geheim van Zwartoog
Het geheim van de raadselbriefjes
Het geheim van de verdwenen muntjes
Het geheim van de boomhut
Het geheim van kamer 13
Het geheim van het Kruitpaleis
Het geheim van het spookrijm
Het geheim van de roofridder
Het geheim van de riddertweeling
Het geheim van de gemaskerde mannen
Het geheim van de snoepfabriek
Het geheim van het gat in de dijk
Het geheim van het spookhuis
Het geheim van de maffiabaas
Het geheim van de nachtmerrie
Het geheim van de ruilkinderen
Het geheim van het zwarte potlood
Het geheim van de schatrovers
Het geheim van het boze oog
Het geheim van de hulpsinterklaas
Het geheim van de dieventekens
Het geheim van de vleermuisjager
Het geheim van het zeehondenjong
Het geheim van de circusdief
Het geheim van de goochelaar
Het geheim van de smokkelbende
Het geheim van de stoere prinses
Het geheim van ons vuur

Heb jij een spannend idee voor een boek? Doe mee op **www.geheimvan.nl** of **www.leesleeuw.nl**

GEHEIM GEHEIM GEHEIM

Wieke van Oordt

Het geheim van het zwarte potlood

Met tekeningen van Saskia Halfmouw

Kijk ook op:
www.wiekevanoordt.com

AVI 7 / M6

Eerste druk 2010

Omslagontwerp: Rob Galema
Uitgeverij Leopold bv, Amsterdam / www.leopold.nl
ISBN 978 90 258 5619 9 / NUR 282

Uitgeverij Leopold drukt haar boeken op papier met het FSC-keurmerk.
Zo helpen we waardevolle oerbossen te behouden.

Inhoud

Rat in de klas 7
De tekening leeft 12
Geld en snoep 21
Wraak 29
Vlinder 34
Kleiner en kleiner 41
Gesnapt 44
Oefenen 50
Slagtanden! 55
Nog maar één dier 62
Jay kiest 70
Het laatste dier 74
Wat vliegt daar? 80

Het geheim van Wieke van Oordt 83

Rat in de klas

Lange oren? Of heeft een rat van die kleine, spitse oortjes?

Hm. Ach, hij maakt er gewoon zijn eigen soort rat van. Jay buigt zich weer over zijn tekening. Hij heeft zijn rekenschrift opengeslagen. Niemand kan zo zien dat hij niet aan zijn sommen zit te werken, maar aan een tekening.

De meester heeft net een nieuwe som uitgelegd. En nu moeten ze rijtje 1 tot en met 4 zelf maken. Alsof hij rekenen nodig heeft als hij later striptekenaar is. Echt niet.

Alleen om het geld te tellen dat hij gaat verdienen met zijn stripalbums.

'Meester, kan er ook nul uitkomen?'

'Gewoon rustig rekenen en het antwoord opschrijven. Ook al vind je het een gek getal.'

'Meester, is nul een gek getal?'

Gelach.

'Ssst.' De meester klapt in zijn handen. 'En nu weer aan het werk, jongens.'

Jay schetst met kleine, precieze halen. Tekent lekker zeg, zijn nieuwe potlood. Heeft hij vorige week tussen de tekenspullen van zijn vader gevonden. Die heeft laden vol. 'Pak maar, hoor,' had zijn vader gezegd. Jay had er een paar schetsblokken, kleurpotloden, wat grote vellen papier en een klein, scherp zwart potlood uitgehaald. Zijn vader is de enige die gelooft in zijn toekomst als striptekenaar.

'Doe wat je goed kunt, jongen,' zegt hij altijd. '*Follow your dream.*' Zijn vader is Amerikaans en heeft altijd van die kreten.

Onder zijn vingers vormt zich een rat op het papier. Eigenlijk nog wel moeilijk om een dier zo uit je hoofd te tekenen. Maar hij moet oefenen. Als hij genoeg dieren heeft getekend, kan hij verder gaan met mensen. En daarna zijn eigen figuren ontwerpen. Zijn eigen striphelden. Voor zijn eerste stripboe...

'Jay.'

Ai. 'Ja, meester?'

'Lukt het met de staartdelingen?'

Staart... hoe lang is de staart van een rat. Twee keer langer dan die van een muis, denkt hij. En dikker.

'Mja.'

'Mooi. Ik kom zo wel even kijken.' De meester glimlacht naar hem. Maar Jay kijkt recht door hem heen. En dan weer op het papier. Opperste concentratie. Jay duwt het puntje van zijn tong naar buiten. Doet hij altijd als hij tekent. Een lange, kronkelige staart. Hij grinnikt voor zich uit als hij de staart een gekke krul geeft. Een Jay-rat. En nu nog de lange snorharen.

Klaar.

Levensecht.

Tevreden leunt Jay naar achteren. Past er een rat in het verhaal van zijn eerste album? De Avonturen van Superrat. De Razende Rat.

'Laat eens kijken.'

O nee! Waar is zijn gum? Hij rommelt door zijn laatje. Het ding ligt er niet. Altijd als je haast hebt… De meester staat naast zijn tafeltje. Nu is het te laat om zijn rat nog uit te gummen. Gauw slaat Jay zijn schrift dicht.

'Klaar?'

'Eh, nee. Ik heb pauze.'

Geproest om zich heen.

'Geef eens.' De meester kromt zijn vinger. Hier met dat schrift.

Jay zucht en geeft het schrift aan. Hij knijpt zijn ogen dicht en zakt onderuit. Krijgt hij wéér op zijn kop.

'Wat is dit?'

Flauw. Kan de meester toch zelf wel zien. Het beest is supergoed gelukt.

'Je hebt nog maar 1 som af.' Smak. Daar ligt het schrift weer op zijn bureau.

'Beetje tempo d'r in.'

Verbaasd kijkt Jay de meester na als die weer naar voren loopt. Hij zegt er niks over! Daar komt hij mooi vanaf. Laat hij nou maar gauw die suffe staartdelingen afmaken. Jay doet zijn schrift weer open. Hij bladert naar rij 1. Dan valt zijn mond open.

Waar is zijn tekening?

De bladzijde is leeg. Op die ene som na dan.

Zijn rat is verdwenen.

Jay slaat de bladzijde om en om. Heeft hij de tekening soms op een andere gemaakt? Nee, hier staat ook niks. Leeg. Heeft de meester snel de rat uitgegumd? Kan niet. Maar waar is dat stomme beest dan geble...

'AAAAARGHH!'

Een bloedstollende gil. Van schrik laat Jay zijn schrift uit zijn handen vallen. Dat is Anne!

'Meester! Daar!' Anne heeft haar stoel naar achteren geduwd. Ze staat en wijst. Haar vinger trilt. Nu beginnen er ook andere meisjes te gillen.

'AAH!'

'Meester, help!'

'Daar, onder de tafel!'

Iedereen roept en rent nu door elkaar heen. Jay kijkt naar de tafel van de meester.

'Wat is er dan?' zegt Jay. 'Anne?'

'Daaronder zit hij. Zo'n grote heb ik nog nooit gezien.'

'Zo'n grote wat?' Jay kijkt onder de tafel. Kronkelt daar iets?

De meester strekt zijn armen uit.

'Achteruit. Allemaal rustig naar achteren. Geen paniek.' Hij jaagt de kinderen naar de muur. Weg van zijn tafel.

Jay bukt onder de arm van de meester. Hij laat zich niet tegenhouden. Dit móét hij zien. Hij stapt tot vlak voor de tafel en gaat door zijn knieën. Hij ziet iets grijzigs en spits onder de tafel vandaan komen. Een beest met snorharen.

Een lange staart. Kronkelig en met een gekke krul.

Jay slikt.

Dit is zijn rat.

Dit is de rat die hij net heeft getekend.

De tekening leeft

'Achteruit, Jay.' De meester zegt het diep en langzaam.

Jay kijkt achterom.

De meester houdt met zijn armen breed alle leerlingen achter zich. Alleen hij zit nog gehurkt voor de tafel van de meester. Alle ogen zijn gericht op wat daar onder het bureau zit. Een rat. Zijn rat.

'Doe wat ik zeg. Dat is een rat en die brengen ziektes over.'

Jay knikt. 'Ja, weet ik.' Hoe kan zijn rat daar nou levend zitten? Is zijn tekening groter geworden en van het papier af gelopen? Maar er is geen papierlijntje te zien. En nog wat, hij heeft de rat getekend met zijn zwarte potlood, terwijl het beest grijs is. Jay buigt zich onder het bureau. De rat zit stil en kijkt hem met priemoogjes aan. Man... dit is precies het beest dat hij nog geen vijf minuten geleden getekend heeft in zijn rekenschrift.

Opeens schiet de rat onder het bureau vandaan. Hij rent onder Jay's benen door en tript richting raam. Wops, daar springt hij op de vensterbank.

'PIEP PIEP!'

Jay kijkt het beest na. Arme rat, hij zal zich wel opgesloten voelen in de klas.

Nu gilt iedereen door elkaar.

'Pak 'm, meester!'

'Sla 'm op zijn kop.'

'Zal ik een bezem halen?'

Jay schrikt. Nee toch! Ze willen de rat vangen. Jay kijkt naar de ramen. Hij moet helpen. Snel duwt hij de ramen wijd open en begint hij te zwaaien met zijn armen.

'Woesj! Hup, wegwezen.' Hij probeert de rat het raam door te jagen. 'Kom op, beest.'

'Jay, niet doen. Ga daar weg.'

Hij hoort de meester naar hem toe stappen. Wild zwaaiend springt Jay omhoog.

De rat maakt een sprongetje, maar blijft daarna toch op de vensterbank zitten.

'PIEP!' Hij kijkt met zijn kraalogen de klas in.

Jay stapt voorzichtig dichterbij. Wow... kijkt het beest hem aan? Jay strekt zijn handen uit naar de rat. Hij wil hem een duwtje geven. Maar voor hij hem kan aanraken, springt de rat door het openstaande raam naar buiten. Hij landt op het grasveld onder het raam. Jay kijkt hem na.

De rat rent met een zigzag over het gras. Zijn lange staart slingert achter hem aan. En weg is hij, niet meer te zien.

'Ah jammer, Jay. Je had op zijn staart moeten gaan staan.' Ja hoor, echt Erik. Pestkop. Die heeft hij laatst op een torretje zien trappen. Zomaar.

Jay draait zich naar hem om.

'Nee,' zegt hij fel. 'Een rat hoort niet gevangen. Hij deed niemand kwaad.'

Hij ziet hoe ze hem allemaal verbaasd aankijken. De meester klapt in zijn handen.

11

'Ga maar vast naar buiten, jongens. De pauze begint zo.' Hij legt even een hand op Jay's schouder. 'Dat liep goed af, maar het was niet erg verstandig van je.'

'Mm.'

'Doe mij een lol en luister voortaan naar me, oké?'

'Ja meester.'

Als Jay naar buiten loopt, staat Anne in de deuropening.

'Wou jij die rat redden?'

'Ja. Ik vond het... zielig.' Jay bijt op zijn lip. Dat hij dat zegt! Hij ziet haar wenkbrauwen omhooggaan. Sukkel.

'Kijk, de grote dierenvriend.' Erik staat bij de deur en kijkt ze pesterig aan. 'Djéétje.' Jay knijpt zijn handen tot vuisten. Erik spreekt zijn naam altijd expres zo stom uit. Het is gewoon *Dzjee*.

'Zeg maar gewoon Jay. Een heel gewone naam in Amerika.'

'Maar we zijn in Nederland.'

'Je weet heel goed dat zijn vader Amerikaans is, Erik,' valt Anne hem bij.

Verrast kijkt Jay haar aan. Ze is voor niemand bang. Zij niet.

Erik haalt zijn schouders op. Dan gaat de bel.

Anne trekt de rits van haar jas omhoog. 'Ik ga naar buiten.'

Jay loopt ook naar het schoolplein en laat Erik achter bij de deur.

Jay ligt op zijn buik. Met zijn armen onder zijn kin gevouwen, kijkt hij naar het schetsblok dat voor zijn bed op de grond ligt. Even chillen. Wat gebeurde er nou precies?

Hij heeft een rat getoverd. Nee, onzin natuurlijk. Opnieuw.

Zijn getekende rat is per ongeluk uitgeveegd. Daarna kroop er stomtoevallig net zo'n rat door de klas. Nee, opnieuw.

Hij tekende een rat naast zijn sommen en sloeg het schrift daarna dicht. De meester opende het schrift weer. Het beest was uit zijn rekenschrift verdwenen. En het zat onder het bureau van de meester. Levend. En gegroeid tot een echte rat met kleuren en al.

Nou, dat op een rijtje zetten heeft lekker veel geholpen. Nu heeft hij nog geen flauw idee wat er is gebeurd. Of hoe. Zal hij het zijn vader vertellen? Mm, eerst maar zeker weten dat hij echt getekende dieren tot leven kan wekken.

Jay strekt zijn rechterarm en schuift het schetsblok dichterbij. Hij komt van zijn bed, slaat het blok open en voelt in zijn broekzak. Ah, daar zit het zwarte potlood van papa nog in. Hij gaat aan zijn bureau bij het raam zitten. Hij kijkt naar het lege, witte vel voor zich. Zal hij een vogel tekenen? Hij weet er veel van, samen met zijn vader tuurt hij vaak door verrekijkers naar vogels. Jay's lievelingsvogel is een adelaar, een *American eagle*. Maar die is natuurlijk veel te groot.

'Als hij zijn vleugels spreidt, is hij groter dan jij,' zegt zijn vader altijd. Hij heeft wel eens zo'n grote in het echt in Amerika gezien.

Jay kent hem alleen van de dierentuin. Maar om er een-

tje in het wild rond te zien vliegen, wow... Zou hij dat kunnen? Een adelaar tekenen? Nee dat durft hij niet. Eerst maar even oefenen met een kleiner dier.

Weer een rat tekenen? Nee. Stel je voor dat het lukt. Dan zit er zo'n joekel in zijn kamer. Hij heeft een kleiner diertje nodig, dat net zo goed al toevallig in huis kan zijn. En weg kan piepen door een kiertje.

Een muisje.

Tong uit zijn mond, stil in de kamer. Alleen het krassen van het potlood is te horen. Hij moet er iets bijzonders aan tekenen. Net als die kromme staart van de rat. Hij grinnikt terwijl hij een klein strikje tekent aan het linkerpootje van de muis. Jay's hoofd buigt van links langzaam naar rechts. Nog een paar halen. Klaar.

In gedachten stopt hij het potlood weer in zijn broekzak en kijkt naar de tekening. Helemaal niet gek gedaan. Maar het beestje is wel kleiner dan een echte muis. Zou de tekening nog groeien voordat het dier levend wordt? Zo moet dat ook met de rat zijn gegaan, want die had hij kleiner getekend dan een rat in het echt is.

Hij kijkt en kijkt maar er gebeurt niets. Zou het dan toch allemaal toeval geweest zijn? Wacht eens, op school had hij het rekenschrift dichtgedaan. Jay klapt zijn schetsblok dicht.

Niets.

Even wachten nog.

Niets.

Kom op nou.

Het is net of het schrift een beetje bolt. Kan niet natuurlijk.

'Jay! Kom je eten?' Mama roept.

Jay voelt opeens zijn maag rommelen. Hij is na schooltijd gelijk naar boven gerend en heeft niet eens wat lekkers genomen.

'Ja, ik kom.' Die muis wacht wel, denkt Jay. Gewoon de deur goed dichtdoen, kan het beestje ook niet weglopen.

Jay bonkt de trap af. Hij snuift. Hm, lekker. Hij heeft honger als een paard. Maar als hij de keukendeur openduwt, hoort hij een gil van boven.

'Iiihhh!' Zijn zusje, Nikky. Man, wat kan die toch hard gillen. En meestal om niks.

'Maham! Pahap! Kom snel.'

Jay's moeder zet net een schaal op de eettafel.'Wat nu weer?' mompelt ze. 'John, ga jij even kijken?'

Jay's vader is al de trap op naar boven.

Jay schuift aan. Daar gaat hij allemaal niet op wachten. Hij schept op. Boven hoort hij zijn zusje weer.

'Pap, een muis!'

Jay laat de lepel op zijn bord vallen. Een muis... Dé muis! In een tel springt hij de trap weer op. Zijn zusje moet in zijn kamer zijn geweest. Ja hoor, daar staat ze met de deurklink in haar hand.

'Wat doe je daar?' Hij duwt haar opzij. Snel blikt hij zijn kamer door. Waar is het beestje?

'Jay, ga eens opzij.' Zijn vader stapt de kamer binnen. 'Waar is hij?'

'Daar!' De arm van Nikky wijst trillend naar binnen. 'Daar liep 'ie.'

Maar nu is er niets te zien.

'Wat deed je in mijn kamer?' moppert Jay.

'Ik wou je alleen maar halen voor het eten.'

Jay's ogen schieten door de kamer. Niks op de vensterbank, onder het bed, achter het bureau.

'Aaaaargh!'

Jay houdt zijn handen tegen zijn oren. Hij wordt nog eens doof van dat gegil. Maar dan volgt hij haar blik. Daar tegen de muur aan gedrukt zit een piepklein muisje. Hij bukt om te kijken. Het beestje kijkt angstig omhoog.

'Ik pak 'm!' Zijn vader loopt naar de muis.

'Nee!' Jay duikt naar de grond. Het beestje sjeest ervandoor, de kamer uit. En terwijl Jay op de grond ligt, kan hij het nog net zien: een piepklein strikje om de linkerpoot van de muis. Zijn muis.

Verdwaasd ziet hij zijn vader en Nikky de trap af rennen. Samen met zijn moeder zoeken ze in de gang naar de muis. Jay blijft boven wachten. Hij durft niet goed naar beneden. Stel je voor dat ze de muis vangen. Wat moet hij dan doen?

'Dat beest is er natuurlijk allang vandoor,' hoort hij zijn vader beneden zeggen. 'Dit huis heeft zo veel kieren en gaten.' Pfieuw, gelukkig. Precies volgens plan. Langzaam komt Jay weer de trap af. Zijn hart klopt in zijn keel.

'Laten we maar gaan eten voordat het koud wordt.'

'Ga jij dan wel morgen kijken hoe je die gaten kan dichten, John?'

'*Yes darling*. Maar een muis doet niks.'

Aan tafel prikt Jay afwezig in zijn eten. Hij is te veel onder de indruk om het te vertellen. Zijn honger is verdwenen. Er is hier iets ongelofelijks aan de hand. Zijn proef is geslaagd.

Wat hij tekent, komt tot leven.

Geld en snoep

Hoe kan hij nu zijn aandacht houden bij wat de meester vertelt? Hij kan maar aan één ding denken: zijn tekeningen gaan leven. In een hoekje van zijn taalschrift tekent hij ondertussen een mier. Hij kan het niet laten. Een mier is klein genoeg om niet op te vallen. Dan krijgt hij niet weer van die gilscènes.

Jay heeft de halve nacht wakker gelegen. Hij heeft een muis en een rat levend gemaakt. Waar zouden ze trouwens nu zijn? Hopelijk leven ze nog wel. Ze zouden toch wel een goed plekje hebben gevonden? Ergens een schuur in gekropen of een holletje. Waar wonen muizen eigenlijk? In een groep of alleen? Zijn muisje kent natuurlijk niemand, hij is helemaal nieuw. En zijn rat moet ook ergens een plekje vinden.

Jay's maag gaat draaien als hij eraan denkt dat het niet goed met de dieren afgelopen is. Dat is dan zijn schuld, want hij heeft ze op de wereld gezet. Hij kreunt zachtjes. Maar hoe kon hij weten dat dit zou gebeuren?

'Aan het werk! Jullie hebben een half uur.'

Huh? Jay kijkt opzij. Hij trekt vragend zijn wenkbrauwen op. Iedereen buigt zich over iets. Hij heeft de uitleg gemist.

Anne wijst naar haar blad en houdt het schuin omhoog. 'Taaltoets,' fluistert ze. 'Hoofdstuk 8.'

Hij knikt om haar te bedanken. Zijn schrift slaat hij open bij hoofdstuk 8. 'Dag mier. Tot zo,' fluistert hij. In de pauze maar weer verder nadenken over wat hij heeft meegemaakt. Zal hij het Anne vertellen? Nee, eerst maar vanavond aan zijn vader.

'Inleveren alsjeblieft.' Het half uur is om. Jay heeft het net op tijd af. Gauw kijken hoe het met zijn mier is, voordat de meester het schrift komt ophalen. Snel bladert hij terug. Hier stond de tekening. O... hier staat de tekening nog steeds. De mier is nog steeds van papier.

Jay tuurt naar het kleine, blauwe beestje. Hij kauwt op zijn pen. Waarom is het nu niet gelukt?

'Kom, je tijd is echt om, Jay.' De meester staat voor hem.

'Ja,' met een zucht geeft hij het schrift. Wat heeft hij anders gedaan dan de vorige keren? Hij heeft een beest getekend met een pen en toen... zijn pen! Dat is het. De vorige keren heeft hij steeds een potlood gebruikt. Dat nieuwe schetspotlood van zijn vader. Hij voelt in zijn zak. Ja, gelukkig, daar zit het nog. Straks gaat hij het weer proberen.

In de pauze schiet Jay een wc in. Hij heeft een blaadje papier en zijn potlood in zijn zak gepropt. Hoeveel poten heeft een mier? Hij kan van de spanning niet meer rustig nadenken. Het mag niet te veel opvallen dat hij lang op de wc zit. Hij heeft maar eventjes, want hij zou gaan voetballen op het plein. Een mier is een insect. Zes poten dus. Jay schetst en tekent. Zijn hoofd gaat weer van links

naar rechts. Af. Hij bekijkt het miertje van een afstandje. Nou, niet echt super, maar duidelijk herkenbaar als een mier.

'Ben je nou eindelijk klaar?' hoort Jay iemand uit de klas voor de deur zeggen. 'Je zou toch keepen?' 'Ik kom.' Hij trekt de deur open. 'Even nog dit papiertje terugleggen op mijn tafel.'

Terug in de klas vouwt hij het papier op en legt het in zijn laatje. Ze gaan *Nieuws uit de natuur* kijken. Doen ze elke dinsdagmiddag. Mooi, dan kan hij rustig wachten. Met zijn armen over elkaar houdt hij een half oog op zijn la. Cool zijn nu. Die beesten hadden steeds even de tijd nodig om van het papier af te komen. Hij zou het liefst de wijzers van de klok naast het bord vooruittrekken.

Nu moet er wel voldoende tijd voorbij zijn gegaan. Zijn hand trilt een beetje als hij het papier half uit zijn la haalt. De meester mag het niet zien. Stond het hier? Ja toch. Hij weet het zeker. Maar de bladzijde is leeg.

Met zijn wijsvinger voelt Jay over de pagina. Yes... en nu zoeken naar de mier.

Dat valt nog niet mee. Zijn la is overvol.

'Let je ook op, Jay?'

'Ja.' Jammer. Nu kan hij niet verder door zijn spullen rommelen. Hij duwt zijn schriften weer naar binnen. Dan ziet hij iets op het bovenste schrift rondkruipen.

Een kleine zwarte mier.

Lekker! Jay kan een brede grijns niet onderdrukken. *He's back.*

'De meester heeft ons gebeld.' Jay kijkt schuin voor zich op de keukentafel. Zijn ouders zitten tegenover hem. Zijn vader trommelt met zijn vingers op het hout van het tafelblad.

'Hij zegt dat jij nog steeds zo slecht oplet,' zegt zijn moeder streng.

Daar gaan we weer.

'Hij vindt het zonde, omdat je slim genoeg bent. Maar je bent altijd zo afwezig.'

Jay zucht onhoorbaar. En dan beginnen ze nu weer over het tekenen, wedden?

'Je tekent altijd onder de les.'

'Maar ik wíl ook alleen maar tekenen!' Hij zoekt de ogen van zijn vader. 'Pap, ik moet toch doen waar ik goed in ben? Dat zeg je altijd.'

'Yes, maar school is ook belangrijk.'

Ja hoor, zijn ouders spannen weer eens samen.

'We weten dat je van tekenen houdt,' zegt zijn moeder. 'Dat vinden we geweldig. Maar je moet niet nu al kiezen, je zit nog maar in groep 7.'

'Maar ik heb iets ontdekt. Iets fantastisch! Ik kan dieren tekenen die echt gaan leven.' Zijn ouders kijken elkaar kort aan. Die blik kent hij. Ze geloven hem niet.

'Miskien kun je later naar de kunstacademie.' Zijn vader kan de 'sch' niet goed uitspreken. Dat kunnen alleen Nederlanders.

'Maar *dad*, luister. Ik tekende een rat en even later liep 'ie in de klas! Zal ik het voordoen?' Hij schuift zijn stoel naar achteren. 'Ik haal mijn potl...'

'Je mag niet meer tekenen,' zegt zijn moeder.

Wat!? Geschrokken kijkt Jay haar aan. 'Niet meer... hoe bedoel je?'

'Niet meer tekenen tot je betere cijfers hebt,' gaat zijn moeder verder. 'Anders mag je in de zomervakantie niet op die tekencursus.'

Zijn cursus! Hij zou naar een cursus striptekenen gaan in augustus. Hij heeft zich al maanden geleden ingeschreven.

'Maar mam...'

'Niet op school tekenen en niet thuis. Je mag alleen nog voor je spreekbeurt de tekeningen maken die erbij horen. We houden je in de gaten, hoor. Anders geen stripcursus voor jou.'

Jay loopt richting de deur. Hij kookt vanbinnen. Zijn ouders verbieden hem wat hij het liefst doet. Goed. Dan zegt hij maar niets meer.

'*Whatever.*' Hij snelt de keuken uit voor ze boos worden. Niet meer tekenen, kom nou! Hij moet gewoon niet meer gesnápt worden.

Jay kijkt naar het bijna kale bureau in zijn kamer. Daar lagen al zijn tekenspullen. Hij had er net alles bijgelegd wat hij uit de la van zijn vader naar zijn kamer had gehaald. Maar zijn ouders hebben zijn tafel leeggeveegd en alles meegenomen. Hij voelt voorzichtig in zijn broekzak. Yes, daar zit zijn zwarte potlood nog gewoon in. En het kleine schetsboek onder zijn kussen hebben ze ook niet gevonden. Ha, ze pakken zijn droom niet zomaar af. Zal hij een adelaar tekenen? Wacht maar tot ze dát zien.

Dromerig pakt hij een kauwgumpje van zijn bureau, dat pakje hebben ze gelukkig laten liggen. Kauwgum... wacht eens, zou hij ook andere dingen dan dieren echt kunnen laten worden? Opgewonden schuift hij op zijn stoel. Cola! Chips! Speelgoed! Geld! Jaaaaa, bakken en bakken met geld gaat hij tekenen. Wedden dat zijn moeder dan niet meer zeurt over zijn school afmaken. Lekker!

Wat een macht.

Wat een supertoekomst.

Niet meer dromen. Gauw beginnen om te kijken of het werkt. Eerst dat pakje kauwgum. Hij legt het voor zich en pakt zijn kleine schetsblok vanonder zijn kussen. Snel tekent hij het na. Het logo, beetje schuine letters. Zou het nog uitmaken dat het lijntjespapier is? Nee, dat was met de dieren ook niet erg.

Als het af is, pakt hij zijn spaarpot. Geld... hij heeft een paar briefjes van vijf en tien. Tot hoe ver gaan die briefjes eigenlijk? Vijfhonderd, duizend euro? Het maakt eigenlijk ook niks uit. Hij kan gewoon heel veel briefjes van tien euro tekenen.

Jay doet zijn tekenblok dicht en gaat op zijn bed liggen. Op zijn buik, handen onder zijn kin.

Hij wacht tien minuten. Hij wacht een half uur.

Niets.

'Jay, ga je tandenpoetsen?'

Gauw schuift hij het blok terug onder zijn kussen.

Zijn moeder kijkt om de deur.

'Hoe laat is het dan?'

'Hartstikke laat. Kom op. Morgen heb je gewoon school.'

'Ja ja.' Zwijgend poetst Jay zijn tanden, kleedt zich uit en gaat in bed liggen.

Vanuit het donker kijkt hij naar zijn schetsblok. Het ligt stil. Kan morgen ook wel, denkt hij slaperig. Kauwgum loopt niet weg. Hij probeert zijn ogen nog een tijdje open te houden, maar valt uiteindelijk toch in slaap. Hij droomt dat hij een adelaar tekent, die zomaar wegvliegt van het papier.

Als de wekker gaat, zit Jay gelijk rechtop in bed. Er is iets, maar wat ook alweer? Ja! Hij weet het weer. Met een sprong is hij uit bed. Hij legt zijn tekenschrift op zijn bureau. Gespannen slaat hij het schrift open. Daar ziet hij eerst het pakje kauwgum. En op de volgende bladzijde staat het tientje. Keurig getekend. Alles d'r op en d'r aan.

Er is niets gebeurd.

De truc lukt niet meer.

Is het potlood uitgewerkt?

Wraak

Er hangt een groot vel naast de deur van de klas over de spreekbeurten van deze maand. Jay staat ervoor en kijkt chagrijnig de namen en onderwerpen nog eens door. Hij baalt, omdat zijn tekentrucje niet meer werkt.

Ze moesten een dier kiezen. Even kijken, wie had ook alweer wat gekozen? Erik houdt zijn spreekbeurt over slangen. Pff, hij had niet anders verwacht. Past wel bij Erik. Glad en giftig. Zelf vindt hij slangen maar enge beesten.

Anne houdt haar spreekbeurt over vlinders. Past ook goed bij haar. Licht, vrolijk en mooie kleuren.

Jay kijkt naar haar. Ze staat te lachen met de andere meiden bij haar tafel. Hij voelt een kriebel in zijn buik als hij naar haar kijkt. Zou ze dat weten? Hij probeert niks te laten merken.

Gek eigenlijk dat hij juist aan iemand die hij leuk vindt, dat niet durft te vertellen. Maar hij is al blij dat ze tegen hem praat. Dat gaat hij echt niet verpesten door te vertellen dat hij op haar is.

Jay houdt zijn spreekbeurt over roofvogels. Hij weet er hartstikke veel van, dankzij zijn vader.

'In Amerika heb je de meeste soorten roofvogels van de wereld, *son*. En de grootste.'

'Jay, kom jij in de pauze even bij me? Jij hebt toch tijd genoeg, zo te zien, want je zit nog steeds niet.' Juf Ineke! Zijn chagrijnige woensdagjuf.

Hij draait zich snel om en ziet dat de hele klas al zit.

Erik grijnst naar hem. Rotjong.

Hij sjokt naar zijn stoel en gaat zitten. Daar gaat zijn pauze. En hij is al in een pesthumeur, omdat zijn potlood het niet meer doet. De dieren kwamen tot leven, maar de kauwgum en het geld niet.

Met een ruk gaat Jay rechtop zitten. Dát is het! Geld en kauwgum kúnnen ook niet leven. Dus ook niet tot leven komen. Hij grijpt snel het potlood uit zijn broekzak. Meteen weer uitproberen. Even opkijken of juf Ineke naar hem kijkt. Nee, die leest het dictee voor. Nou, daar heeft hij nu echt even geen tijd voor. Hij wil weten hoe het zit.

Een vliegje. Dat wordt het deze keer. Goed concentreren. Vleugeltjes, bolle ogen.

'Zin 4: de buurvrouw vroeg of hij daarover kon uitweiden. Jay, je zit toch niet weer te tekenen?'

'Nee, hoor.' Gauw doen of hij de zin opschrijft. Lange ij?

'Je wéét dat het niet mag.' Zoals ze dat zegt, *wéét*, vreselijk mens.

'Ja juf.'

Alleen nog dit lijntje dikker maken. Af. Schrift dichtdoen. O nee, weer opendoen, want ze zijn met een dictee bezig. Maar wel op een andere bladzijde.

'Zin 5: De man verdubbelde zijn inzet onmiddellijk.'

Eh, wel of geen twee 'ellen' in 'onmiddellijk'?

Bzzz. Bzzz. Jay zwaait naar iets wat om zijn hoofd zoemt terwijl hij zin 5 van het dictee opschrijft. En dan beseft hij wat hij doet. Hij zwaait naar iets wat vliegt... Ja! Gauw terug naar de pagina waar hij zijn vliegje heeft getekend.

Leeg. Helemaal leeg. Op het vorige dictee na.

Tevreden legt Jay zijn potlood neer. Het is weer gelukt. Hij is er nu achter. Hij moet kennelijk dieren tekenen met zijn zwarte potlood. En dan lukt het. Zou hij dan toch zijn eigen adelaar kunnen gaan tekenen? Kan hij die mooi bij zijn spreekbeurt laten zien.

'Heb je zin 6 al af, Jay?'

'Nee. Kunt u de zin nog eens herhalen, juf?'

'Ja hoor. Straks in de pauze.' Gelach in de klas. Jay kijkt juf Ineke boos aan. Waarom wordt zo'n kinderhater juf? Ze had beter slager kunnen worden.

Hij buigt zich voorover en begint te tekenen. Dan scheurt hij het blad af en vouwt het dicht in zijn hand. De vorige keren waren zijn schrift en schetsblok ook dicht. Hij wacht even en voelt het papier dan bollen. Oké! Het is al aan het groeien!

Trrring. Pauze.

'Dus jij blijft nog even hier.'

'Ja juf.'

'Ik haal koffie. En daarna wil ik eens met jou praten, Jay.'

Hij knijpt zijn ogen samen terwijl ze de klas uit loopt. Snel staat hij op en loopt naar voren. Juf Ineke heeft haar tas altijd op haar tafel staan. En daar zitten haar zoetjes in, voor in de koffie. Voorzichtig steekt hij zijn hand in de tas en schudt het papier erboven uit.

Tik tik. Wat was dat? Haastig kijkt Jay achterom. Daar stond iemand voor het raam naar binnen te kijken! Geschrokken trekt hij zijn hand terug. Hij kon niet zien wie het was. Jay voelt zich zenuwachtig worden. Heeft die iemand ook gezien dat hij zat te tekenen? Als de juf het hoort, ai ai... Dan kan hij zijn cursus vergeten. Daar is ze alweer. Hij rent terug naar zijn plek en gaat snel weer zitten.

Juf Ineke komt binnen en zet de mok met koffie voor haar neer op de tafel. Ze doet haar hand in de tas.

Jay voelt een rilling over zijn rug.

'Whaaah!' Ze springt op. Ze zwaait haar hand heen en weer alsof die in brand staat. Haar gezicht trekt wit weg.

Jay zakt onderuit en vouwt zijn armen strak over elkaar. Hij voelt zijn hart in zijn keel kloppen. Aan dat dictee komt ze nu niet meer toe, wedden? Rustig bekijkt hij wat er voor in de klas gebeurt. Hij ziet hoe de mond van juf Ineke vol afgrijzen openvalt. Haar ogen staren naar haar tas.

Daar klimt net iets zwarts en harigs uit. Iets zo groot als een ei. Met acht harige poten.

De ogen van juf Ineke draaien naar boven. Ze zakt ineen.

'Een spin...' piept ze.

'Yep,' zegt Jay.

Zo voelt dat dus. Wraak.

Vlinder

'Wat gebeurde er nou met juf Ineke?'

Oei. Hij zou het wel aan Anne willen vertellen. Zij zal toch niet verraden dat hij zat te tekenen? Maar iets houdt hem tegen. Hij schaamt zich een beetje voor zijn spinnenactie. Is het eigenlijk niet laf om je te verbergen achter een truc?

'Weet niet precies.' Hij trekt zijn schouders even omhoog. 'Voelde zich opeens niet lekker of zo.' Hij voelt zijn wangen warm worden. Bah, dat hij nou net tegen Anne moet liegen. Net voelde hij zich nog zo stoer, met zijn geheime potlood. Maar nu Anne hem onderzoekend aankijkt, heeft hij niks om zich achter te verschuilen. Hij moet haar afleiden.

'Jij bent morgen, hè?' Ze lopen samen naar huis. Annes spreekbeurt staat voor morgen op de lijst.

'Ja.'

'Veel geoefend?'

'Elke dag. Maar...' Anne kijkt naar de grond. 'Eigenlijk is het een stom onderwerp.'

'Hoezo?' Je kan er vast heel veel over vertellen.'

'Ja. Dat wel. Maar ik kan geen echte vlinder laten zien. Het is nog veel te vroeg in het jaar voor vlinders.' Ze lacht hoog, een beetje beschaamd. 'Ontzettend suf natuurlijk. Om je spreekbeurt over vlinders in maart te doen.'

Nog voor ze is uitgesproken borrelt het idee al in Jay's

hoofd. Hij gaat een vlinder voor Anne tekenen! Eentje die ze kan laten zien in de klas bij haar spreekbeurt. Zou ze dat niet geweldig vinden?

'Nou dag.' Ze wijst naar links. Die straat moet ze in om bij haar huis te komen.

Jay houdt zijn hand op als groet.

'Yo.' Gelijk kan hij zich wel voor zijn hoofd slaan. Waarom moet hij zich altijd stoerder voordoen dan hij is.

Ze grinnikt even en loopt dan de Margrietlaan in.

Mega sukkel! Jay loopt rechtdoor. Zijn pas versnelt. Hoe pakt hij dit aan? Hij kan moeilijk opeens met een echte vlinder aankomen. Hoe legt hij uit dat hij er wel eentje heeft gevonden? Hij heeft trouwens nooit eerder een vlinder getekend. Eerst maar eens opzoeken hoe die er precies uitzien.

'*Dad*, kan je me helpen?' Jay staat op zijn tenen voor de boekenkast. 'Ik kan er net niet bij.'

'*Here you go*.' Hij krijgt van zijn vader het zware boek *Natuur in beeld* in handen.

'Is voor school,' zegt hij snel.

Hij neemt het mee naar boven en doet de deur zachtjes op slot. Papa denkt nu wel dat hij zijn huiswerk zit te doen, maar hij moet voorzichtig zijn. Wat als hij toch even binnenkomt en hem ziet tekenen?

In de inhoudsopgave glijdt zijn vinger langs de onderwerpen. Insecten, ah vlinders bladzijde 180. Jay kijkt naar de foto van een vlinder. Komt deze wel in Nederland voor? Hij moet niet opeens met een tropische soort aankomen. Een koolwitje. Vliegt van maart tot november staat er. Moet kunnen.

Aan de slag. Hij slijpt het zwarte potlood en begint te tekenen, terwijl hij ondertussen naar het plaatje van de vlinder kijkt. Zijn hoofd gaat van links naar rechts terwijl hij tekent en kleurt. Puntje van zijn tong uit zijn mond. Zo. Vrij goed gelukt, al zegt hij het zelf. Het potlood draait hij even in zijn handen rond voordat hij het weer in zijn zak stopt.

Hoe kwam zijn vader aan dit wonderpotlood? Jay slaat het blok dicht en wacht. Maar waar bewaar je een vlinder? Een leeg potje. Hij moet een glazen potje van beneden halen.

Ai, opschieten nu, want straks komt de vlinder tot leven. Hij is weer eens gelijk gaan tekenen. *Eerst denken, dan doen*, hij hoort het zijn moeder zeggen.

In de keuken staat zijn zusje bij het aanrecht.

'Ga eens opzij, Nikky.' Hij luistert niet naar haar protestkreten, terwijl hij de keukenkastjes opentrekt. Nee, hier staan de macaroni en de cornflakes. Geen glazen potjes. Alleen van de oploskoffie van zijn vader en de... wacht eens, die koffie kan hij wel ergens anders bewaren. Jay schroeft het deksel open giet de korrels in een yoghurtbakje.

'Wat doe je!' zegt zijn zusje.

'Sssst. Wat maakt hem het uit waar die koffie in zit. Ik heb dit potje nodig voor school.'

Zijn vader drinkt als enige oploskoffie. Echt Amerikaans, zegt hij. Met het lege potje holt Jay weer naar boven. Als die vlinder nou maar niet...

Hij gooit zijn deur open. Met twee stappen is hij bij zijn schetsblok. Daar kriebelt iets tussen de bladzijden uit. Ragfijne pootjes, een trillend lijfje. Hij is net op tijd. Gauw zet hij het potje op de vlinder. Omdraaien en deksel erop. Met een schaar prikt hij gaatjes, anders kan het beestje niet ademen.

'Hallo daar,' fluistert hij tegen zijn nieuwste aanwinst. 'Jij wordt een cadeautje voor Anne.'

De volgende ochtend loopt hij met het potje in zijn tas al vroeg naar de Magrietlaan. Hij moet Anne opwachten. Zenuwachtig stapt hij van het ene been op het andere. Daar komt ze...

'Hai, wat ben jij vroeg.'

'O?' Jay doet net of hij dat niet weet. 'Hé Anne...'

'Ja?'

'Ik heb wat voor je... gevonden.' Hij haalt het potje uit de tas en duwt het in haar handen.

Haar ogen worden groter. 'Wat!? Dat is een vlinder! Hoe kom je daar nou aan?'

Hier heeft hij op geoefend.

'De buurman heeft een kas in de tuin. Daar is het warmer dan buiten. Er zijn al vlinders.'

'Wow... en wat een mooie grote, Jay.'

'Voor je spreekbeurt.'

'Echt?'

'Om te laten zien.' Hij wordt er verlegen van.

'Bedankt!'

Even staan ze elkaar aan te kijken. Voelt zij misschien ook wat voor hem? Laat hij zich nou niet van alles in zijn hoofd halen. Ze is gewoon blij met de vlinder.

Samen lopen ze het schoolplein op. Erik leunt tegen het schoolhek.

'Psst.'

Erik die hem opwacht? Die wil iets van hem. 'Ja?'

'Ik heb jou wel gezien gisteren. Toen je iets in de tas van de juf stopte.'

Woesj. Jay's maag draait zich in één keer om. Dus het was Erik die door het raam stond te gluren. Hij dacht al dat hij iemand had zien kijken.

'Eh... waar heb je het over?'

Erik buigt zich naar hem toe. Zijn gezicht heel dicht

bij het zijne. 'Jij was iets aan het tekenen of zo. "Je wéét dat het niet mag," doet Erik pesterig de juf na. 'En toen stopte je iets in haar tas.'

Dit gaat fout. Helemaal fout.

'Ach man, je kletst.' Hij duwt Erik van zich af. 'Ik keek of ze drop bij zich had. Maar ze kwam alweer terug. Bijna gesnapt. Balen!' Hij grijnst er brutaal bij. Maar ondertussen voelt hij zijn hart tekeergaan. Trapt Erik erin?

'Ik houd je in de gaten, Djeetje.'

Jay steekt zijn handen in zijn zakken en slentert weg. Het liefst was hij het plein over gehóld.

Van Annes spreekbeurt volgt hij niks. Die stomme Erik verpest wat een geluksdag had moeten worden. Als zijn ouders horen dat hij weer heeft getekend, pakken ze vast ook nog zijn zwarte potlood af. En zeg dan maar dag tegen de stripcursus. Hij wordt liever later beroemd als iemand die mooi kan tekenen, als iemand die een trucje met een geheimzinnig potlood kan. Maar door het zwarte potlood ziet Anne hem staan. En kan hij misschien een adelaar voor zichzelf tekenen. Het is of hij vastzit aan twee touwen, die hem elk een andere kant uit trekken.

Kleiner en kleiner

Zijn vader staat achter in de tuin. Hij heeft zijn verrekijker om en tuurt omhoog. Jay loopt op hem af. *'Hi dad.'*

'Hi Jay. Kijk eens, daar zit een kraai.' Hij wijst naar de hoge bomen die grenzen aan de tuinrand. Hij kijkt door de verrekijker.

'Ik zie niks.'

'Je moet geduld hebben.' *Keduld.* 'Houd de verrekijker stil. *You can do it.*'

Het is hier thuis soms net een Amerikaanse tv-serie, denkt Jay. Hij geeft de verrekijker terug aan zijn vader.

'Pap, die tekenspullen van jou die op zolder lagen. Waar komen die eigenlijk vandaan?'

Zijn vader laat de verrekijker zakken.

'Jay,' zegt hij op waarschuwende toon. 'Je moeder en ik hebben afgesproken dat je voorlopig niet...'

'Nee nee, dat weet ik. Ik wil alleen weten waar ze vandaan kwamen, vooral de schetspotloden.'

'Vandaan?'

'Ja. Waar heb je die potloden gekocht?'

Zijn vader pakt de verrekijker weer op.

'O, dat kwam uit mijn doos met tekenspullen van vroeger. Dat is al zo lang geleden, ik weet het niet meer precies. Ik heb ze nog uit Amerika meegenomen.'

'Heb je nog meer van dat soort potloden?'

'*No, sorry*. Wat in die lade zit, is alles wat ik over heb. Die oude tekendoos heb ik weggegooid.'

'O...' Jay schopt een kiezeltje weg.

De hand van zijn vader gaat over zijn haren.

'Doe je best op school. Dan krijg je alle tekenspullen weer terug.'

'Ja pap.'

Mooi, zijn vader heeft niks door.

Terug op zijn kamer slaat hij zijn schetsblok open. Hij moet aan zijn spreekbeurt werken. Automatisch begint hij aan zijn lievelingstekening: een American eagle. Zooo mooi. Met die witte kop en gele, scherpe snavel.

Wacht, niet verder tekenen. Als dit beest gaat leven, zit hij met een adelaar in zijn kamer. Hoe moet hij dat nou weer uitleggen? Gauw begint Jay te gummen. Zijn droomvogel moet nog even wachten. Hij moet supervoorzichtig zijn. Dit potlood kan hem flink in de problemen brengen. Erik heeft hem al bijna gesnapt.

Maar hij is blij dat in ieder geval de vlinder voor Anne is gelukt. Jay steunt met zijn hoofd op zijn hand en tuurt uit het raam. Zit er een titel in voor zijn stripboek? Vlinder Anne. De Roofvogel en de Vlinder. Hm, dat klinkt een beetje suf.

Hij kijkt naar zijn wonderpotlood. Gek, maar het is net of het anders in zijn hand ligt. Alsof het kleiner is geworden... kleiner! Van schrik staat Jay op. Zijn stoel klapt achter hem op de grond. Het potlood is uit zijn handen gevallen. Hij pakt het met trillende handen weer op.

En hij bekijkt het van onder naar boven. Hij draait het rond en rond.

Het is veel kleiner dan toen hij ermee begon te tekenen. Heeft hij er al zo veel afgeslepen?

Jay kreunt. Wat een *loser* is hij ook. Dat hij dat nou niet eerder heeft bedacht. Dit is dan wel een magisch potlood, maar het wordt net als elk ander potlood gewoon bot en moet geslepen worden. Zijn zwarte potlood wordt steeds kleiner.

Die oude tekendoos heb ik weggegooid. De woorden van zijn vader echoën in zijn hoofd. Hij kan niet zomaar naar de winkel. 'Graag een potlood waarmee je dieren tekent die dan gaan leven, alstublieft. Hoeveel is dat?' Hij ziet het al voor zich.

Zijn potlood raakt op.

Nog een paar tekeningen en dan is zijn avontuur afgelopen.

Hoeveel dieren kan hij er nog mee tekenen?

Gesnapt

De hamsters zijn aan de beurt. Marieke houdt haar spreekbeurt vandaag. Ze vertelt over hoe ze nesten maken, wat ze eten en al dat soort dingen. Maar niemand zit echt te luisteren naar wat ze zegt. Ze zitten allemaal te kijken naar de doos die op haar tafel staat. Daar zitten de hamsters in. Niet eentje, niet twee, maar een heel nest.

'Nog maar een paar dagen oud, meester,' kwam Marieke hijgend van trots vertellen vanochtend. 'Ik mocht ze allemaal meenemen van mijn ouders. Een stuk of vijf, zes. We hebben ze nog niet eens geteld! We hebben het nest eerst met rust gelaten.'

Er komt een hoop gepiep uit de doos.

Jay staart naar de doos. Ze heeft ze nog niet geteld, ze weet niet hoeveel het er zijn... Hij kan er eentje bij tekenen en dan in de doos stoppen. Alle andere dieren die hij tot leven heeft gewekt, heeft hij niet meer teruggezien.

Zijn rat en muis piepten ertussenuit, zijn mier zag hij ook weglopen. De vlieg is gewoon het raam uit gevlogen en zijn spin is ook naar buiten gezwiept.

Door de conciërge van de school, die juf Ineke gauw had gehaald toen ze weer een beetje bij was gekomen. Anne heeft haar vlinder ook weer losgelaten.

Hij wil weten of zijn dieren blijven leven. Voor zijn adelaar straks. Dat kan hij nu testen, want Marieke houdt de hamsters allemaal zelf.

Jay kijkt om zich heen. Alle kinderen kijken naar Marieke, die voor de klas staat te praten. Hij kan nu wel even gaan schetsen. Langzaam buigt hij zich voorover en haalt zijn potlood uit zijn zak. Een klein tekeningetje, anders gaat zijn potlood te snel op. Zijn dieren groeien toch tot hun echte grootte. Hamstertjes zijn kaal en blind, dat weet hij wel. Gelukkig maar, want dat is makkelijker om te tekenen. Het zijn een soort dikke wurmpjes. Snel doorwerken nu, hij moet het op tijd af hebben.

Maar hoe krijgt hij dat beestje in de doos?

'En dan zal ik nu de deksel van de doos afhalen.' Ai. Snel nadenken. Hij vouwt de tekening op en propt die in zijn zak.

'Eh, wacht!' Hij zwaait met zijn vinger.

'Wat is er, Jay?'

'Ik kan maar beter even helpen met die deksel, want eh, straks ontsnapt er eentje.' Hij wacht het antwoord van de meester niet af, maar loopt snel naar voren.

Er gaan een paar vingers de lucht in. 'Mag ik ook helpen, meester?'

'En ik?'

Straks staan ze hier allemaal te dringen om de doos. Dat moet hij niet hebben. Hij voelt het papier in zijn hand al bol worden. Zijn hamstertje gaat groeien.

'Nee! Kan niet.' Wild schudt hij zijn hoofd. 'Dat is te onrustig voor die kleintjes.' Uit zijn ooghoeken ziet hij de meester goedkeurend knikken.

'Goed, dan gaan we in groepjes kijken. Jay was eerst, jongens. Jullie komen allemaal aan de beurt.'

Voorzichtig gaat Jay voor de doos staan. Met zijn rug naar de klas, zo kan hij het zicht zo veel mogelijk afschermen.

Terwijl Marieke nog doorkletst over hoe klein de hamsters zijn als ze worden geboren, schuift hij langzaam de deksel eraf. Ondertussen haalt hij het papier uit zijn zak. Kijk, daar liggen inderdaad vijf piepende hamstertjes naast hun moeder in een bergje stro en pluisjes. Hij schudt de tekening uit boven het zachte nestje. Hij durft geen adem te halen.

Van het papier rolt een klein, kaal beestje. Jay's hart roffelt. Alweer gelukt! Toch balen dat hij niemand kan vertellen dat hij dit kan. Het heeft misschien niets met zijn tekenkunst te maken, maar het blijft een waanzinnige truc.

'Ga es opzij.' Erik port in zijn zij. 'Ik ben aan de beurt, man.'

Jay trekt snel zijn hand terug. Hij gaat graag achteruit. Hij is bekaf. Laat de anderen nu maar even kijken.

'Wat een kale, lelijke beesten!' roept Erik.

Jay gaat weer zitten. Hij veegt over zijn voorhoofd.

'En hoeveel zijn het er nou, Marieke?' vraagt de meester.

Ze houdt haar hoofd boven de doos en telt.

'Een, twee, drie... en daar twee. En er ligt er nog eentje onder, kijk maar.' Haar hoofd gaat weer omhoog. 'Zes meester.'

Zes hamsters, vet! Jay glimt van trots. Wel mooi dankzij hem.

In de pauze komt Anne naar hem toe. Jay zit op een muurtje op het plein. Hij zit nog na te genieten.

'Jij bent echt gek op dieren.'

'Uhuh.' Hij probeert er nonchalant bij te kijken. Anne komt naast hem zitten op het muurtje. Anne zit naast hem! Zenuwachtig schuift Jay een beetje opzij.

'Eerst was je zo bezorgd om die rat. En daarna heb je die vlinder voor me gevangen. En nu was je weer zo lief voor die hamstertjes.'

Lief... owoh, ze vindt hem een watje.

'Ik ben ook gek op dieren. Ik heb een poesje gevraagd voor mijn verjaardag.'

'O ja, je bent binnenkort jarig.' Net alsof hij dat niet wist.

'Ik heb een zwarte gevraagd. Helemaal zwart. Maar mijn ouders zijn bij het asiel en de dierenwinkel geweest en zeggen dat ze geen nest hebben gevonden met zwarte katten.'

Dan tekent hij er toch eentje! Anne blij, hij blij, haar ouders blij. 'Ik weet er wel eentje!'

Ze draait haar hoofd naar hem toe. Grote ogen in de zijne. 'Ja?'

Een seconde voelt Jay twijfel. Hij moet eigenlijk eerst afwachten of het wel goed gaat met de hamster. Hij kan het niet zomaar beloven. En misschien haalt hij het niet meer met zijn potlood. Wees nou verstandig.

'Ja.' Te laat. Nu kan hij niet meer terug. 'Ik weet een nest eh, ergens. Buurvrouw van mijn achterbuurman.'

'Te gek! Ik ga het vanmiddag gelijk mijn ouders vertellen, Jay. Kom je me morgen ophalen voor school?'

'Oké.' Anne vraagt of hij haar op komt halen. Zou ze hem leuk vinden? Of is het alleen maar vanwege haar verjaardagscadeau?

Ze springt van het muurtje en loopt naar de andere meiden van groep 7. Hij kijkt haar na.

'Yo, ik heb jou door.' Erik staat naast hem. Benen wijd, brede grijns. 'Jij hebt iets gepakt en daarna zat er opeens een extra hamster in de doos.'

Jay valt bijna van het muurtje. O nee!

'Ik dacht al dat ik iets zag toen je met je handen in de tas van juf Ineke zat. En nou moet jij eens goed luisteren, Djeetje.'

Dat misselijke gevoel is weer terug. In paniek kijkt hij om zich heen. Wat kan hij doen?

'Jij tovert ergens dieren vandaan. Ik weet niet hoe. Maar dat maakt me geen biet uit. Ik wil...' Zijn stem wordt zachter. 'Ik wil dat je het voor mij doet. Maak een slang voor mij. Ik heb altijd een slang gewild als huisdier.'

Wat?!

'Een... slang?'

'En dan laat ik je met rust. Kan je daarna weer lekker frutselbeestjes maken voor je vriendinnetje.'

Jay houdt zijn hand tegen zijn buik.

'Maar als je weigert... dan verraad ik je.' Dan loopt hij weg.

Jay dwingt zijn handen weer in zijn broekzak. Erik mag hem niet verraden.

Niet opvallen nu, vooral niet opvallen. Maar hij kan het wel uitschreeuwen. Hij is gesnapt.

Oefenen

Nog één dag. Morgen al wil Erik zijn slang hebben. Dat heeft hij nog even tegen Jay gezegd nadat de bel was gegaan. Gesist, liever gezegd. Erik lijkt zelf wel een slang.

Kronkelend en glad.

Jay staart uit het raam. Hij heeft nog nooit zo veel op zijn kamer gezeten als deze week. Zijn ouders kunnen blij zijn. Eindelijk zit zoonlief braaf achter zijn huiswerk. Dat denken ze tenminste.

Ach, voor ze erachter komen dat het niet zo is, is deze hele ellende hopelijk achter de rug. Dan heeft hij een slang getekend voor Erik. Erik blij.

Daarna gaat hij een zwart poesje voor Anne tekenen. Anne blij.

Anne... die hij morgenochtend mag ophalen om samen naar school te lopen. Jay haalt diep adem. Die kat mág niet mislukken.

Nou, en daarna tekent hij nog even zijn adelaar voor zijn spreekbeurt. Hij ook blij.

En dan... hij draait zich om en kijkt naar het zwarte potlood op zijn bureau.

Daarna niks.

Hij zal blij zijn als het potlood straks op is. Hij heeft misschien toch liever de cursus dan het potlood. Het potlood gaat op, maar zijn talent houdt hij.

Jay maakt een streep van zijn lippen. Hij neemt een besluit.

Na de slang, de poes en de adelaar, gaat hij het potlood slijpen. Tot het op is. Tot er niets meer van over is dan een lange, ongevaarlijke sliert slijpsel. Waar niemand meer enge beesten mee kan tekenen. Hij wil het niet meer, al die spanning. Sinds hij dit potlood in zijn bezit heeft, heeft het zijn leven overgenomen. Straks heeft hij hopelijk Anne en zijn adelaar. Wat zou hij nog meer willen? Niets.

Jay knikt naar niemand. En dan grinnikt hij even. Krijgen zijn ouders toch nog hun zin, want daarna gaat hij weer opletten op school, zodat hij naar de cursus mag. Oefenen voor als hij later een beroemde striptekenaar is.

Maar eerst nog even die slang tekenen.

O ja, de slang.

Jay gaat zitten en pakt het potlood vast. *Natuur in beeld* staat weer op zijn bureau voor hem, rechtop tegen de muur. Opengeslagen bij het hoofdstuk reptielen. Hij bladert door de soorten. Hij moet in ieder geval geen giftige nemen.

Wat had Erik ook alweer gezegd. Hij wou een maïsslang, dat is de soort die het meest thuis wordt gehouden. Hij had al een bak in zijn kamer staan. 'Ik mocht van mijn ouders een huisdier. Nou, ik wil een slang.'

Bah, wat een misselijke streek. Zomaar achter de rug om van je eigen ouders... O, waar heeft hij dat eerder gehoord?

Jay zakt tegen de leuning van zijn bureaustoel. Hij

knijpt zijn rechterhand vast om het potlood. Hij durft niet gelijk een maïsslang te tekenen, doodenge beesten die slangen. Hij moet echt even oefenen met iets onschuldigs, ook al kost het een stukje van zijn kostbare potlood. Hij kan het risico niet nemen dat het fout gaat, omdat hij de slang niet goed heeft getekend, want dan trekt Erik aan de bel. Drie dieren en een klein proefdiertje haalt hij nog wel uit zijn potlood.

Er bestaat een soort grote worm, hoe heet zo'n beest ook alweer? Hij heeft 'm wel eens in het bos gezien.

'*Dad!*' had hij toen gegild.

Maar zijn vader had geglimlacht: 'Dat is een *slow worm*. Een hagedis zonder poten en met gladde schubben.' Skubben. Ze hadden samen later opgezocht wat de Nederlandse naam is: hazelworm.

Ja, dat is een goed plan. Vanmiddag oefenen en dan morgen zijn schetsboek meenemen naar school. Met het boek *Natuur in beeld* als voorbeeld. Dan moet hij na schooltijd de maïsslang schetsen voor Erik. Dat gaat hij nu niet alvast doen, want dan zit hij met dat beest opgescheept. Daar kletst hij zich *no way* uit.

Lang, kaal, glibberig, kronkelig. Jay's hoofd gaat van links naar rechts terwijl het potlood krast op het papier.

Als de worm af is, slaat hij zijn schetsblok dicht en neemt het mee naar beneden. Zijn potlood laat hij op zijn bureau liggen. Hij wil het beest gelijk in de tuin vrijlaten. Gelukkig wonen ze niet ver van het bos. De hazelworm kan via de hoge heg achter ontsnappen en dan vindt hij zijn weg wel weer. Hij hoopt maar dat de worm blijft leven. Jammer dat hij morgen pas kan gaan vragen hoe het met z'n hamstertjes is gegaan. Of zal hij Marieke opbellen? Of er langsgaan? Nee, dat durft hij niet. Er op school naar vragen valt niet zo op, maar helemaal naar het huis van Marieke toe gaan... Ze zal hem uitlachen.

'Ik dacht dat jij je huiswerk zat te maken, Jay?'

'Ja. Maar ik ga even een luchtje scheppen.' Hij schiet door de achterdeur de tuin in. Achterin bukt hij, bij de heg. Nog even achteromkijken. Zit Nikky of zijn moeder niet toevallig door het raam naar hem te gluren? Nee, mooi zo, hij kan verder. Dan schudt hij zijn schetsboek langzaam leeg.

Hij is er al helemaal aan gewend hoe dit gaat: tekening maken, boek dichtdoen en dan even wachten tot de tekening groeit en het boek weer opendoen.

Maar dat er dan ook nog een echt dier uit de bladzijden opstaat...

Jay rilt even van opwinding als hij de worm over het papier ziet kronkelen. Met zijn vinger duwt hij de worm voort. Huuh, koude huid. Het is geen slang, maar het lijkt er wel verrekt veel op.

'Kom maar, lekker graven.' Het beest kronkelt op de grond en inderdaad, de worm begint in de zwarte tuinaarde te woelen.

Een tijdje kijkt Jay de worm na. Het beest beweegt traag en het duurt even voordat hij langzaam in de struiken verdwijnt.

'Naar het bos, jij. En blijven leven, hè?' fluistert hij en gaat weer rechtop staan. Hij merkt dat het zweet op zijn voorhoofd staat.

Hij loopt terug naar boven, naar zijn kamer. Zijn zwarte potlood is superklein. Zou hij nog drie dieren halen? Eerst de slang voor Erik, daarna de kat voor Anne. En dan nog een adelaar voor zichzelf. Hij gokt van wel. Maar *that's it*. Het moet morgen in één keer goed gaan.

Slagtanden!

Al om acht uur staat Jay op de hoek van de Margrietlaan. Veel te vroeg om nu al naar school te gaan. Maar hij wil zeker weten dat hij Anne niet misloopt. Zenuwachtig wipt hij van de ene voet op de andere. Is die pijn in zijn buik nou omdat hij op Anne wacht of omdat hij vanmiddag na school de slang voor Erik moet tekenen?

'Hoi Jay.' Daar is ze!

'Hi.' Hij houdt 'yo' nog net op tijd in.

'Ik heb het mijn ouders verteld.'

'Wat?'

'Dat jij een nest kent met zwarte poesjes, sufferd.' Ze lacht hoog en vrolijk.

'O ja.'

'Zullen we samen vanmiddag gaan kijken?'

'Nee! Dat... dat kan niet.'

'Waarom niet?' Anne staat stil en kijkt hem onderzoekend aan.

'Ze gaan verhuizen.' Hij ziet haar schrikken.

'Verhuizen?!'

Wat heeft hij nou weer verzonnen?

'Ja, morgen. Maar voordat ze wegrijden, komen ze nog even een zwart poesje bij mij brengen. Want ik had ze gisteren al gevraagd of ik er eentje mocht. En het mocht,' eindigt Jay. Wat een kletsverhaal.

'O.'

'Dus ik neem 'm morgen voor je mee. Echt waar!' Het zweet prikt alweer op zijn rug. 'Heb je trouwens nog meer wensen?'

'Hoe bedoel je?'

'Nou, je wou een zwart katje. Wil je er nog een wit streepje op ergens?' Oei. Het is eruit voor hij het weet.

Ze kijkt hem met grote ogen aan. Dan grinnikt ze. 'Grapjas. Je doet net of je dat er dan op kan toveren of zo.' Ze tikt even met haar hand op de zijne. 'Kom, we gaan naar school.'

Jay houdt zijn adem in. Haar hand tegen de zijne. Ze babbelt iets over verjaardagen en kattenmanden. Weet hij veel. Hij luistert niet echt. Hij voelt nog steeds die hand. Vlak voor het schoolplein staat Anne even stil.

'Zie ik je dan morgenochtend?'

'Ja, dat is goed. Ik ben weer om acht uur op de hoek en dan heb ik de poes bij me.'

'Te gek!' Ze glimlacht weer breeduit en loopt dan het schoolplein op.

Jay stapt achter haar aan. Is ze nou aardig tegen hem vanwege dat poesje? Op het plein loopt hij naar Marieke.

'Hoe is het met de hamsters?' Ze kijkt even verbaasd.

'Goed hoor.'

'Leven ze nog allemaal?'

Ze grinnikt. 'Ja hoor, allemaal. Waarom?'

Jay haalt zijn schouders op. 'Gewoon.'

'O... nou, oké dan,' zegt Marieke. Jay draait zich om en loopt weg. Dus de hamsters leven nog, denkt hij. Mooi, dan is zijn worm ook oké.

Hij loopt naar de deur. Daar staat Erik hem al op te wachten.

'Denk eraan, Djeetje,' zegt hij. 'Vanmiddag om vier uur wil ik mijn slang. Ik wacht op je bij het speeltuintje aan de Korenlaan.' Vier uur al! Dan moet hij na school als een razende gaan tekenen.

'Kunnen we niet wat later afspreken?' Hij probeert zijn stem rustig te laten klinken.

'Nee.' Erik schudt zijn hoofd. 'Of zoals jij zou zeggen: *no*. Ik heb trainen en ik wil eerst de slang naar huis brengen.'

Wat staat hij hem daar nou met zo'n grijns aan te kijken!

'Zeg, hoe ga je dat thuis eigenlijk regelen?' vraagt Jay.

'Hoe bedoel je?'

'Zeg je dat je op straat een slang hebt gevonden of zo? En is die bak waar je hem in gaat doen wel groot genoeg?'

Erik fronst. 'Man, wat ben je opeens bezorgd. Laat dat maar aan mij over. Mijn ouders denken dat ik vanmiddag de slang ga kopen in de dierenwinkel. Van mijn zakgeld, maar dat spaar ik nu uit.' Hij rammelt met zijn jaszak.

Jay hoort munten rinkelen.

'En zo'n bak heet een terrarium, Djéé.' Hij draait zich om en loopt naar binnen. 'Tot vanmiddag vier uur.'

Verbluft blijft Jay achter. Erik heeft er beter over nagedacht dan hij. Want wat heeft hij voor smoes als hij met zijn adelaar aankomt?

Ik vond een vogel. Zeker ontsnapt uit de dierentuin.

Of hij zat hier gewoon voor de deur.

Of ze deelden roofvogels uit in het dorp.

Dat gelooft niemand.

De hele dag op school zit Jay aan zijn potlood en de dierentekeningen te denken. Hij voelt zich steeds meer gespannen. Hij merkt het nauwelijks als Anne naar hem knipoogt.

Als eindelijk, eindelijk de bel gaat, spurt Jay ervandoor. Hij ziet wel dat Erik hem nakijkt en hoort dat de meester hem wat naroept, maar hij heeft er allemaal geen tijd voor. Wegwezen.

Thuis smijt hij zijn tas in de gang.

'Hi Jay. Kom je met mij tekenen?' Zijn zusje Nikky zit aan de keukentafel te tekenen. Jay ziet een hele hoop stiften, penselen, potloden en bladen papier. Pestkop.

'Nee, doe niet zo stom. Je weet best dat ik even niet mag tekenen.'

Op zijn kamer ziet hij op zijn wekker dat het al kwart voor vier is. Hij heeft geen tijd meer om de slang hier te tekenen. Is maar goed ook, want hij heeft bepaald geen zin om het beest achter op zijn fiets mee te moeten nemen.

Hij ritst zijn rugzak open en houdt die onder het tafelblad. Met één hand veegt hij over zijn bureau. Hup, zijn schetsblok erin en de kopie van de maïsslang. Die heeft hij gisteren nog gemaakt om in zijn bed te bekijken. Hij heeft elk detail bestudeerd. Geen wonder dat hij zich vandaag zo afgemat voelt, komt zeker van de inspanning. Nu zijn potlood nog.

Waar is dat ding? Hij had toch gisterenavond alles klaargelegd? Als een wilde maait Jay heen en weer. Een schaar, gum, maar geen potlood.

Paf. In een keer staat hij rechtop. Wát zei zijn zusje net toen hij binnenkwam? Ze zal toch niet...

Jay valt bijna de trap af naar beneden. Tien voor vier. Dat is het eerste wat hij ziet op de klok die in de keuken boven de eettafel hangt.

En daarna ziet hij zijn zusje. Ze is aan het tekenen. Voor haar op tafel ligt een hele hoop papier en knutseltroep. En in haar hand heeft ze een puntenslijper.

Ze is zijn potlood aan het slijpen. ZIJN potlood!

Kgg kgg. Aan de andere kant ziet hij een lange sliert uit het kleine apparaatje komen. Er is bijna niks van over.

'Nikky, stop!' Hij gilt het. 'Wat DOE je!'

Geschrokken kijkt ze hem aan. 'Wat is er?'

'Niet doen!' Hij springt boven op haar en trekt zijn potlood uit haar handen. En uit die afschuwelijke slijper. Jay bijt zo hard op zijn lip dat hij bloed voelt.

'Niet slíjpen!'

Ze haalt haar schouders op. 'Maar dat potlood was hartstikke bot.'

'Dat is MIJN potlood. Daar mág je helemaal niet aankomen.' Hij stopt het veilig in zijn broekzak.

'Nou zeg. Jij mag toch niet tekenen, dat zei je net zelf. Wat maakt het nou uit dat ik het even gebruik? Het lag op je bed. Als mama hoort dat jij toch een potlood hebt...'

Maar Jay gaat niet op haar in. Hij staart naar de vellen papier op de keukentafel. Zijn hart stopt met kloppen.

'Wat teken je eigenlijk?' zegt hij schor.

'Gewoon. Ik maak een dierentuin.'

'Dieren...'

'Ja, leuk hè.' Nikky wijst op tafel. 'Kijk, dit is een tijger. Die heb ik overgetrokken in dit schetsboek. Grote slagtanden, hè? Wrow.'

Jay pakt de leuning van een stoel voor zich stevig beet. Hoe krijgt ze het voor elkaar? Waarom tekent ze niet gewoon kleine meidendingen, roze bloemen of zo. Of een ketting.

'Kijk niet zo stom. Alsof jij de enige bent die dieren mag tekenen.' Nikky kijkt hem boos aan.

En dan klapt ze het boek dicht. Het klinkt als een donderslag in zijn oren. Nu duurt het nog maar even voordat de tekening gaat groeien.

'NEE!'

Nog maar één dier

Jay's ogen schieten over tafel. Ligt er ook een gum ergens? Ja, gauw.

'Hé!' zegt Nikky boos als hij haar schetsboek weer openslaat en als een gek begint te gummen. 'Mijn mooie tijger!'

Ze rukt aan zijn arm, maar hij laat zich niet stoppen.

Eerst slijpt ze zijn potlood bijna op en daarna gaat ze levensgevaarlijke dieren tekenen. Hij gumt en gumt. Als eerste moeten die slagtanden weg en daarna de rest van de kop.

Zo. Jay kijkt tevreden naar de ex-tekening.

Zwarte vegen en hoop gumdinges, hoe heet dat wat overblijft als je hebt gegumd? Gumsel. Gegummer.

'Rotjong!'

O ja, Nikky. Jay kijkt naar zijn zusje, die op en neer springt van woede. Hij duwt haar weg.

'Nikky, ik moest je tijger wel uitgummen.'

Er staan tranen in haar ogen. 'Wat gemeen! Alleen maar omdat jij straf hebt. Maar ik kan ook mooi tekenen,' zegt ze en ze barst in huilen uit.

'Natuurlijk kan jij tekenen,' zegt Jay gehaast. Het is bedoeld om haar te troosten, maar het werkt niet echt.

Ze zakt snikkend op haar stoel. 'Waarom gum je hem dan uit?'

Ja, geef daar maar eens antwoord op. Omdat er anders

straks een levende tijger in de keuken staat.

'Omdat eh, ik hartstikke bang ben voor tijgers. En hij leek zo ontzettend echt.'

'Sukkel! Ik ga het tegen mama zeggen.'

Dit valt niet meer te redden. Het is trouwens al bijna vier uur. Hij moet ervandoor.

'Sorry Nik.' Hij pakt zijn rugzak uit de gang en rent naar buiten.

Erik zit al op hem te wachten.

Jay smijt zijn fiets tegen het hek van het speeltuintje en doet zijn rugzak af.

Erik komt handenwrijvend op hem aflopen.

'Heb je mijn slang?' Erik fluistert het. 'Ik heb hier al mijn terrarium klaarstaan.' Hij wijst naar een grote, glazen bak. Er zitten bladeren in. 'Ik kon hem net dragen.'

'Ja, ik ga 'm nu uit mijn tas pakken. Maar je mag niet kijken!'

'Wat is dat nou weer voor onzin, Djeetje.'

'Nee echt niet, anders lukt het niet.'

Erik staat even fronsend naar hem te kijken. 'Je wil je trucje niet laten zien zeker.'

'Het is geen trucje.' Hij gaat hem mooi niet vertellen over het potlood. 'Maar ik wil gewoon niet dat je kijkt.'

'Hm. Oké dan. Ik wacht hier.' Erik beent naar de schommel en gaat erop zitten.

'Omdraaien!' roept Jay. Als Erik achterstevoren zit, pakt hij zijn schetsboekje, de kopie van de slang en het potlood. Hij legt het boek open op de grond. Bah, hij is hartstikke zenuwachtig. Hij kan niet tekenen als hij zo onder druk staat. Maar hij moet. '*You can do it*,' mompelt hij tegen zichzelf. *Come on*. Hij lijkt zijn vader wel.

Het potlood is hartstikke klein geworden na die stomme slijpactie van zijn zusje. Er is alleen nog maar een stompje van over. Jay klemt het zo goed mogelijk tussen zijn vingers.

Hij begint te schetsen. Zijn vingers trillen een beetje. Rustig blijven nu.

Haastig tekent hij de slang tevoorschijn. De kleine, koele ogen zonder oogleden, de schubben. Hij kijkt van de kopie naar zijn schets en weer terug. Staat alles er wel goed op zo?

Dan hoort hij voetstappen achter zich.

'Hé, je mocht niet kijken, zei ik toch.' Erik staat achter hem. Jay klapt gauw het schetsboek dicht.

'Je hebt helemaal geen slang. Je zit gewoon te tekenen, man. Wat is dit voor geintje?' Jay's haren prikken op zijn hoofd. Kletsnat. Hij klemt het boek tegen zich aan.

'Achteruit,' sist hij.

'Zit je mij te belazeren? Dan ga ik het...'

'AchterUIT!'

Erik schrikt van zijn felle toon, want hij zet inderdaad een paar stappen naar achteren.

'Omdraaien en niet meer kijken,' zegt Jay boos. 'Of je krijgt helemaal geen slang meer.'

Erik doet zijn handen in zijn zakken. 'Je krijgt nog twee minuten,' bromt hij, maar hij draait zich wel om.

Twee minuten. Het moet nu lukken. Jay hurkt met zijn schetsboek boven de glazen bak. Wat duren twee minu-

ten lang. Hoelang duurde het voordat zijn spin van het papier af kroop? Of zijn mier en muis? Stom, daar heeft hij helemaal niet goed opgelet.

Dan voelt hij het boek onder zijn handen opbollen. Zijn ogen staren naar de bladzijden, die hij nu een beetje openhoudt.

Daar komt iets uit kruipen, nee glijden.

Iets langs, kronkeligs. Het is zijn slang.

Verstijfd zit Jay naar zijn zoveelste wonder te kijken. Hij schudt even zijn hoofd. Kijk nou, kijk nou toch! Hij tekent een slang en pats, daar kruipt ie rond. Wat geweldig is dit toch. Zijn hart pompt en pompt.

'Chill...' Erik komt naast hem knielen. Zijn knokkels omklemmen de rand van de glazen bak.

Geweldig, wat een verbaasd hoofd. Jay geeft hem een klap op zijn schouders.

'Had je niet gedacht, hè?'

'Nee.' Meer zegt Erik niet. Hij kijkt naar de slang, die zich nu zachtjes tussen de bladeren oprolt. Die voelt zich kennelijk helemaal thuis.

'Jay...' Goud waard. Hij is Erik te slim af geweest en die spreekt nu voor het eerst zijn naam uit zoals het hoort.

'Hoe heb je dat gedaan?'

'Zeg ik niet.' Jay staat op en klopt zijn broek af. 'En jij zegt ook niks. Dat heb je beloofd.' Hij pakt zijn rugzak en loopt terug naar zijn fiets. Rustig lopen nou.

'Later,' zegt hij koeltjes. Als hij omkijkt vanaf zijn fiets, zit Erik daar nog precies zo. Met zijn handen geklemd om de glazen bak. En met zijn mond wijd open.

'Voor de rest van de week!' Hij moet voor straf op zijn kamer zitten tot na het weekend. Dat had hij wel gedacht. Toen hij thuis was gekomen, zat zijn zusje nog steeds aan de keukentafel. Haar ogen waren roodomrand. Maar dit keer zaten zijn vader en moeder ernaast.

'Mag ik weten wat dit te betekenen heeft?' had zijn moeder pinnig gevraagd. Ze had de uitgegumde tijger omhooggehouden.

'Wat strepen... hm. Is het misschien moderne kunst?' had Jay nog geantwoord, maar ze konden er niet om lachen.

'Waarom heb je Nikky's tekening verpest?'

Hij had alleen maar zijn schouders kunnen ophalen. Dit snappen ze nooit. Het was beter om schuld te bekennen.

'Kweeniet, het was stom. Sorry Nik. Ik vind dat je heel goed kunt tekenen. Echt waar.'

'*Can I come in?*' Zijn vader kijkt om de hoek van de deur.

Jay zit op bed. 'Yes.'

Zijn vader komt naast hem zitten. Hij zucht even.

O nee, wordt dit weer een preek?

'Jay, je weet dat ik je talent fantastisch vind. *I believe in you.*' Net of hij weer in zo'n Amerikaanse televisieserie zit, denkt Jay.

'Maar je moet niet arrogant worden.'

'Arrogant?'

'Ja, tekeningen van anderen lelijk gaan vinden. Alsof die niet mogen bestaan.'

'Nee nee, pap, zo ging het niet. Er was iets anders aan de

hand, maar...' Maar dat kan hij niet vertellen. Hij knijpt zijn vingers om het stompje potlood dat nog steeds in zijn broekzak zit.

'Maar wat?'

'Niks. Ik weet het niet. Echt sorry.' Hij kan altijd over alles met zijn vader praten. Maar nu niet. Hij moet het geheim nog even voor zich houden. Anders krijgt Anne haar poes niet. En kan hij fluiten naar zijn cursus.

Zijn vader klopt op zijn knie en staat op.

'*Allright*. Ga nu maar slapen.'

Als hij weg is, gaat Jay languit voorover op zijn bed liggen. Handen onder zijn hoofd gevouwen, het minipotlood legt hij voor zich op het uiteinde van het bed.

'Stom rotding,' fluistert hij ertegen. Hij haat opeens de kracht van het zwarte potlood. Wat heeft het hem opgeleverd? Ruzie, straf, bijna verraden worden. Maar misschien wel verkering met Anne. Dat weet hij als hij morgen met haar cadeau aan komt zetten. Dan gaat hij het vragen. Als hij het durft.

Het potlood is superklein door die suffe slijpactie. Jay pakt het op en draait het rond. Toen hij de slang ging tekenen, was het al niet veel meer dan een stompje. En nu... Het is bijna niks meer. Jay kijkt door zijn raam, ver weg de lucht in. Zijn adelaar, hij wil zo graag een adelaar tekenen. Maar kijk dit stompje nou. Daar zit nog maar één dier in.

Wat een keuze: een poes en dan misschien dus wel verkering met Anne? Of een adelaar voor zichzelf? Dan bewaart hij het stompje, wacht hij tot hij weer mag tekenen van zijn ouders en dan pats, een echte roofvogel.

Man, wat zal zijn vader opkijken. *Oooo son, I'm so proud of you!* En dan vertelt hij hoe hij dat gedaan heeft, met zijn zwarte potlood. En als deze op is, vindt hij misschien wel een ander potlood waarmee het ook lukt. Iedereen onder de indruk, wat knááááp, allemaal tranen van ontroering. Voor je het weet is hij op tv. *Hier is hij, dames en heren: de Nederlands Amerikaanse 'Wonder Boy'.*

Wat moet hij kiezen: de poes of de roofvogel?

Verkering of beroemd worden?

Gatver.

Jay kiest

Kwart voor acht.

'Ik ga.'

'Nu al? Je hebt nauwelijks iets ontbeten.'

'Geen honger. Dag.'

'*Bye*.' Jay trekt zijn jas aan en pakt zijn rugzak. Vandaag is Annes verjaardag.

Heel langzaam loopt hij de Margrietlaan in.

Hij gaat op de stoep zitten en zet de rugzak naast zich neer. Hij heeft tijd zat. Kan hij rustig nog even nadenken. Wat een idiote week. Hij heeft al die dagen niet meer aan zijn stripboek gedacht. Daar krijgt hij nou tenminste weer tijd voor. En zin. Hij heeft genoeg geoefend met het tekenen van dieren. Hij kan nu gaan nadenken over welk verhaal hij verzint voor zijn eerste strip.

Als hij nou eens begint met een klein vervolgverhaal? De Adelaar, deel 1. Op één A4'tje. En dan kunnen kinderen zich daarop abonneren. Dan zorgt hij dat hij elke week een vervolg maakt. Papa en mam willen vast wel een abonnement. Nikky misschien nog even niet, maar die draait wel weer bij. Hij kan haar het eerste nummer gratis aanbieden of zo. Of korting geven. Zou Anne een abonnement willen? Hij moet een extra spannende strip maken. Dan blijven ze het kopen.

'Hoi.' Daar is ze! Jay springt op van de stoeprand. Zijn rugzak laat hij staan.

'Gefeliciteerd met je verjaardag, Anne.'

'Dank je.' Ze kijkt hem vrolijk aan, haar hoofd een beetje schuin. Wat moet hij nou doen? Verlegen steekt hij zijn hand naar voren. Ze grinnikt en pakt hem aan. Handen schudden, wat suf! Hij krijgt het er warm van.

'Heb je al een cadeau gekregen vanochtend?'

'Ja, een kattenmand.'

'Je hebt toch geen kat?'

Ze lacht nu hoog, een beetje zenuwachtig. 'Nee, nog niet. Maar die heb jij toch meegenomen, Jay?'

Hij kijkt naar de stoep. Schraapt zijn keel. 'Als ik toch geen poes heb...' Heel even kijkt hij op, recht in haar verbaasde gezicht.

'Wat zou je dan zeggen?'

Haar ogen zijn schoteltjes, haar mond valt open. Dan kijkt hij weer gauw naar beneden.

'Wat! Is het niet gelukt met het zwarte poesje?'

'Zou je dat heel erg vinden?'

'Ja natuurlijk! Blacky... Ik zou haar Blacky noemen. Of hem, want misschien is het een kater. Wás het een kater.' Ze zegt het heel verdrietig.

Jay voelt zich ellendig. Maar hij moet het weten.

'Zou je... zijn we dan geen vrienden meer?' Hij durft haar niet aan te kijken. Het lijkt wel drie uur achter elkaar stil.

'Geen vrienden meer?'

'Ja,' zegt Jay. 'Vind je me alleen maar leuk als ik je een poes cadeau geef?' Dat bonken van zijn hart moet zij ook

horen. Hij staat hier te beieren als een kerkklok. 'Nee, joh. Ik vond je al leuk.'

Nu kijkt hij haar wel aan. 'Echt?'

'Ja, sufferd. Ik had toch al gezegd dat ik het lief vond hoe je met die hamster, de vlinder en die rare rat omging. Zo bezorgd. De meeste jongens hebben het alleen maar over voetbal.'

Kom op, *you can do it*. Zijn wangen branden.

'Wil je verkering?'

Hij heeft het durven vragen!

'Oké.' Ze giebelt een beetje. Heeft hij daarvoor de halve

nacht in zijn bed liggen zenuwen en al die kreten van zijn vader liggen herhalen. *Go for it*. Hij heeft zin om te springen, te juichen, rond te hopsen, in die plas te stampen. O yeah, verkering met Anne.

'Kijk es.' Gehaast knielt hij naast zijn rugzak. Heel voorzichtig doet hij de rits open.

'Miauw.'

Anne zakt zo snel door haar knieën dat hij denkt dat ze flauwvalt.

'Blacky!' Ze steekt haar hand uit naar het kleine zwarte katje dat zijn kopje een eindje naar buiten steekt.

'Miauw.'

Ze kroelt over de glanzende vacht.

Jay knijpt zijn handen samen tot het pijn doet.

'Wat een schatje! O Jay, dus het is toch nog gelukt!'

'Ja, het is toch nog gelukt.'

Het laatste dier

'Wat liehief!'

'Wat een schatje!'

'Mag ik 'm eens vasthouden?'

Alle meiden staan om Anne en Blacky heen. Ze heeft het zwarte katje in haar armen en glimlacht van oor tot oor. Jay bekijkt het allemaal van achter in de klas, rustig op zijn stoel. Als ze dat beest zo blijft aaien wordt hij nog kaal. Wat is ze blij met Blacky! Hij had het zich niet beter kunnen voorstellen. Kijk haar nou stralen.

Knappe jongen die trouwens zijn eigen humeur kan verpesten vandaag. Oké, hij heeft geen adelaar, dat is waar. Het zal bij zijn spreekbeurt blijven bij tekeningen.

Het blijft een droom. Maar gisteravond was hij gaan twijfelen. Al zijn dieren bleven leven. Als hij nou een echte adelaar had gemaakt, zou die dan kunnen overleven in Nederland? In zijn eentje... zo'n groot beest. Vindt 'ie wel genoeg eten hier? Straks verhongert dat beest. Of wordt hij overreden. Er zijn zoveel auto's. Hij durfde het niet. Stel je voor dat het mislukte en het beest dood zou gaan? Dan was het zijn schuld.

'Jay.' Hij schrikt van de stem van Erik die opeens naast zijn tafel staat.

'O hi. Hoe is het met je slang?'

'Goed.' Waarom blijft hij nou hier staan? Hij blokkeert ook nog zijn zicht op Anne.

'Ik weet hoe jij het doet.'

'Wat doet? Ik doe niks.' Erik zet zijn beide handen plat op Jay's tafelblad en buigt naar hem toe.

'Ik vond het gisteren al raar. Dus heb ik je vanochtend gevolgd en ik heb alles gezien.' Jay schrikt. Hij gaat razendsnel na wat hij vanochtend allemaal gedaan heeft. Hij is met zijn schetsboek en potlood naar het speeltuintje gegaan. Daar heeft hij met het stompje de poes getekend. En daarna had hij de tekening in zijn rugzak gestopt, met de rits half open. Toen is hij naar de Margrietlaan gewandeld.

Heeft Erik hem bespied in de speeltuin?

'Wat heb je gezien?' vraagt hij hees.

'Alles. Ik zat achter de heg bij de Korenlaan. Jij tekende eerst een poes, wachtte toen even en toen was die poes opeens levend.'

Baf. En weg is zijn goede humeur.

'Jij hebt beloofd niks te zeggen.' Als hij nou maar zijn mond houdt. En hij praat veel te hard. Ze beginnen al naar hen te kijken.

'Dus het is waar?'

Hij wil zijn geheim niet verraden. Ook niet nu het allemaal achter de rug is. Want dan komen zijn ouders erachter dat hij stiekem toch heeft getekend. Erik klapt met zijn hand op tafel. 'Ongelofelijk! Ik dacht dat je die dieren ergens vandaan had gehaald. Maar dit... dit is echt chill!'

Jay schuifelt onrustig op zijn stoel. 'Ssst. Houd je mond.'

'Wat is er aan de hand, jongens?'

'Meester, Jay kan dieren zo echt tekenen dat ze levend worden!'

Jay kreunt. Erik heeft het gezegd!

Nu kijken alle kinderen om. Gelach.

'Ja hoor.'

'Je bent niet goed wijs, man.'

Maar Erik wappert met zijn armen in de lucht. 'Nee nee, ik kan het bewijzen. Kijk maar eens.' Hij steekt zijn hand uit naar Jay's broekzak.

Jay duwt geschrokken zijn hand weg. 'Niet doen!' Gaat Erik het echt nu nog voor hem verpesten?

'Hier!'

Voor hij het weet, heeft Erik het zwarte minipotloodje uit zijn spijkerbroek tevoorschijn gehaald. Triomfantelijk houdt hij het omhoog.

'Met een potlood kan Jay dieren levend maken. Laat maar zien!'

De meester vouwt zijn armen over elkaar. 'Hm, eigenlijk mag Jay niet tekenen onder schooltijd. Maar zo'n trucje wil ik wel eens zien.'

Het klinkt superspottend. O nee... Hoe komt hij hier nu onderuit? Als Anne straks doorheeft dat hij gelogen heeft over waar hij het poesje vandaan heeft, dan zal ze vast boos zijn.

'Ik kan het niet.'

'Kom op, Jay.'

'Ik... ik weet geen dier,' zegt hij onhandig.

Gelach om hem heen.

'Jay die geen dier weet!'

'Haha! Jij hebt het toch altijd over vogels!'

'Ja, teken een kraai.'

'Of een uil.'

Erik duwt het potloodje in Jay's handen.

'Tekenen jij.'

Jay's hand trilt als hij het stompje naar het papier brengt. Het wordt langzaam stil in de klas. Ze komen allemaal om hem heen staan. Wat moet hij doen!

Kgrrr, kgrr. In de war zet hij een paar strepen.

Zullen zijn ouders erg boos zijn? Dat hij stiekem heeft zitten tekenen. En dan ook nog zulke suffe beesten. Muizen en mieren! Waar er al miljoenen van zijn. Wat is hij stom geweest. Hij had uitgestorven dieren weer terug kunnen brengen; dodo's, dino's, mammoeten! Waarom bedenkt hij dat nu pas? Nu het te laat is.

Jay veegt zijn handen aan zijn broek af. *Eerst denken, dan doen. Yeah right*, heeft hij dus weer eens niet gedaan.

Hier is hij, dames en heren: Nederlands Domste Jongen.

'Zo gaat het niet,' hoort hij Erik zeggen.

'Nee,' piept Jay.

'Hier.' Erik rukt het zwarte potloodrestje uit Jay's handen. 'Dit is op. Neem deze maar.' Met een zwaai gooit Erik zijn potloodje in de prullenbak. Het tikt nog even de rand aan en verdwijnt dan met een boogje tussen het afval.

Jay trekt zijn ogen wijd open terwijl hij het nakijkt. Plof. Weg is het potlood.

Dan pakt Erik van zijn tafel een ander potlood. Een nieuw, lang en scherp, maar normaal potlood.

Heel normaal.

'Maar deze is, deze is...' stamelt Jay.

Erik geeft hem een duw. 'Nou niet meer zeuren. Tekenen!'

Jay pakt het potlood aan. Hij grist het bijna uit Eriks handen. Hij is gered!

Wat zal hij maken? Alsof het wat uitmaakt trouwens. Er gebeurt toch niks mee. Een vlinder.

Snel zet hij de lijnen neer. Deze vlinder heeft hij eerder getekend.

'Dat is een koolwitje,' zegt Anne.
Hij legt zijn potlood neer.
'Af. Maar hij vliegt niet, zie je? Lekker voor je, Erik. Hang 'm dan maar boven je bed.'
Om hem heen hoort hij gegrinnik.
Eriks gezicht wordt rood.
'Maar ik heb het zelf gezien! Die poes liep opeens van het papier af.'
Nu wordt er harder gelachen.
De meester klapt in zijn handen. 'Dat zou een mooie truc zijn. Maar je kan prachtig tekenen, Jay, levensecht. Dat wordt nog wat later. Als je het maar niet meer onder schooltijd doet.'

Wat vliegt daar?

'Nog meer vragen?'

'Laten we maar stoppen, Jay. Je bent al een half uur aan het woord. En het is zo pauze.'

Pfieuw, het zit erop. Jay drukt op escape. Plof, het laatste plaatje van zijn PowerPoint-presentatie verdwijnt van het bord.

Hij voelt de hand van de meester op zijn schouder.

'Goed gedaan, Jay. Je hebt echt je best gedaan.'

'Ja.'

'Het was duidelijk, je wist er heel veel van en je had mooie plaatjes en tekeningen.' Even voelt Jay een kriebel van spijt. Hij had zo graag een echte adelaar willen laten zien.

'Je krijgt een negen.'

Een negen!

De bel voor de pauze gaat. Iedereen staat op en gaat de klas uit. Anne blijft even naast zijn tafel staan.

'Ik vond het hartstikke goed.'

Ze kijkt hem niet echt aan, maar hij kan wel zien dat ze een beetje rode wangen heeft.

'Bedankt.'

'Kom je vanmiddag naar het veldje bij de Korenlaan?'

'Yep.'

'Ik ook. Zie je dan.'

Daar gaat ze. Jay steekt zijn hand even op. 'Later.'

Thuis rent hij gelijk naar de tuin. Daar vindt hij zijn vader achterin met een verrekijker.

'*Dad*! Ik had een negen voor mijn spreekbeurt!'

'Jay, wat goed. Fantastisch. Ik ben heel trots op je.'

Oké, hij is geen *Wonder Boy*, maar dit voelt ook goed.

'Mag ik weer tekenen? En op de cursus?'

'Ik zal het vanavond met *mom* overleggen. Okay?'

'Ja.' Zijn vader pakt de verrekijker weer op. 'Kom je vogels met me kijken?'

Jay steekt zijn handen in zijn zakken. Het scheelde niet veel of er had een adelaar in Nederland rondgevlogen.

'Papa, kan een adelaar in Nederland overleven?' Zijn vader tuurt door de verrekijker.

'Ja hoor.'

Jay's hart zinkt naar beneden. Zie je, had hij er toch eentje moeten tekenen.

'In z'n eentje?'

'*No*, niet in zijn eentje natuurlijk. Een vrouwtjesadelaar heeft een mannetje nodig. En andersom. Maar dan zou het wel kunnen.'

Nu voelt Jay zich ietsje beter. Twee adelaars tekenen was hem toch niet gelukt. Daar had hij geen potlood genoeg voor gehad. *No way*. Misschien als Nikky er niet zo veel afgeslepen had.

Zijn vader haalt zijn verrekijker van zijn hals en doet hem bij Jay om.

'Maar er zijn sinds kort weer adelaars in Nederland, wist je dat?'

'Echt?'

'Ja. Ze hebben een paar zeearenden gespot. Ze maakten

een nest, dus het ziet ernaar uit dat ze hier blijven. En een zeearend is ook een adelaar.'

Jay duwt de verrekijker op zijn ogen. Adelaars in Nederland! Wow... Dan krijgt hij toch nog een adelaar te zien misschien.

'Kunnen wij die ook een keer gaan bekijken, pap?'

'*Why not.*' Een aai over zijn haren.

'Miskien kun je er een strip over maken,' zegt zijn vader. 'Over een adelaar.'

Jay tuurt de lucht af. Niks miskien, denkt hij. Zeker weten.

Het geheim van Wieke van Oordt

Ik ben wel jaloers op Jay's tekentalent, want ik kan niet tekenen. Nog geen huis, fiets, boom of konijn. Helemaal niks.

Als ik een mannetje teken, dan maak ik zo'n poppetje met twee harken als handen en met van dat stekeltjes-haar, weet je wel. Zo eentje die iedere kleuter in groep 1 tekent. Toen viel het ook nog niet op. Maar in groep 8 tekende ik nóg van die poppetjes!

Ik had ook altijd slechte cijfers op school voor tekenen. 'Ze probeert het wel,' zei de juf dan tegen mijn ouders, 'maar ze kan er niks van. Geen bal.'

Nou ja, ik kan weer andere dingen goed, zoals bananengebakjes eten.

Maar nu heb ik twee zonen. En die kunnen het ook niet! Weer poppetjes met harken als handen. En hun paarden lijken op koeien met staarten.

'Ze proberen het wel,' zegt hun meester, 'maar ze kunnen er niks van. Geen bal.'

Sjonge, van wie zouden ze dat nou hebben?

Word vrienden met Wieke via wiekevanoordt.hyves.nl.

Winnaars van d

2003 Pleun Nijhof

Rindert Kromhout & Pleun Nijhof – *Het geheim van de raadselbriefjes*

2004 Rosa Bosma

Selma Noort & Rosa Bosma – *Het geheim van het spookhuis*

2005 Isa de Graaf

© foto: Gerlinde de Geus

Hans Kuyper & Isa de Graaf – *Het geheim van kamer 13*

2006 Marie-Line Grauwels

© foto: Gerlinde de Geus

Anneke Scholtens & Marie-Line Grauwels – *Het geheim van de circusdief*

EHEIM-wedstrijd

2007 Roos van den Berg

© foto: Gerlinde de Geus

Anna Woltz & Roos van den Berg – *Het geheim van de stoere prinses*

2008 Justin Wink

© foto: Mark Sassen

Mirjam Oldenhave & Justin Wink – *Het geheim van de maffiabaas*

2009 Lies Beers

© foto: Mark Sassen

Frank van Pamelen & Lies Beers – *Het geheim van de schatrovers*

Wieke van Oordt

Het geheim van de nachtmerrie

Nee! Sierd wil het niet geloven. Hoe kan het vandaag nou woensdag zijn? Dat was het gisteren ook al! Sierd heeft deze dag al meegemaakt. Maar niemand gelooft hem. En het wordt nog erger. De volgende morgen is het dinsdag. Sierd durft bijna niet meer te gaan slapen. Hoe lang gaat dit nog door? Toch niet tot... zaterdag? Sierd moet iets doen om uit deze nachtmerrie te komen. Hij wil de ergste dag van zijn leven niet nog een keer meemaken.